Bienvenue
dans le monde des

ALBIN MICHEL JEUNESSE

Salut, c'est Téa, la sœur de Geronimo Stilton ! Je suis envoyée spéciale de « l'Écho du rongeur », le journal le plus célèbre de l'île des Souris. J'adore les voyages et j'aime rencontrer des gens du monde entier, comme les Téa Sisters. Ce sont cinq amies vraiment épatantes. Je vous les présente !

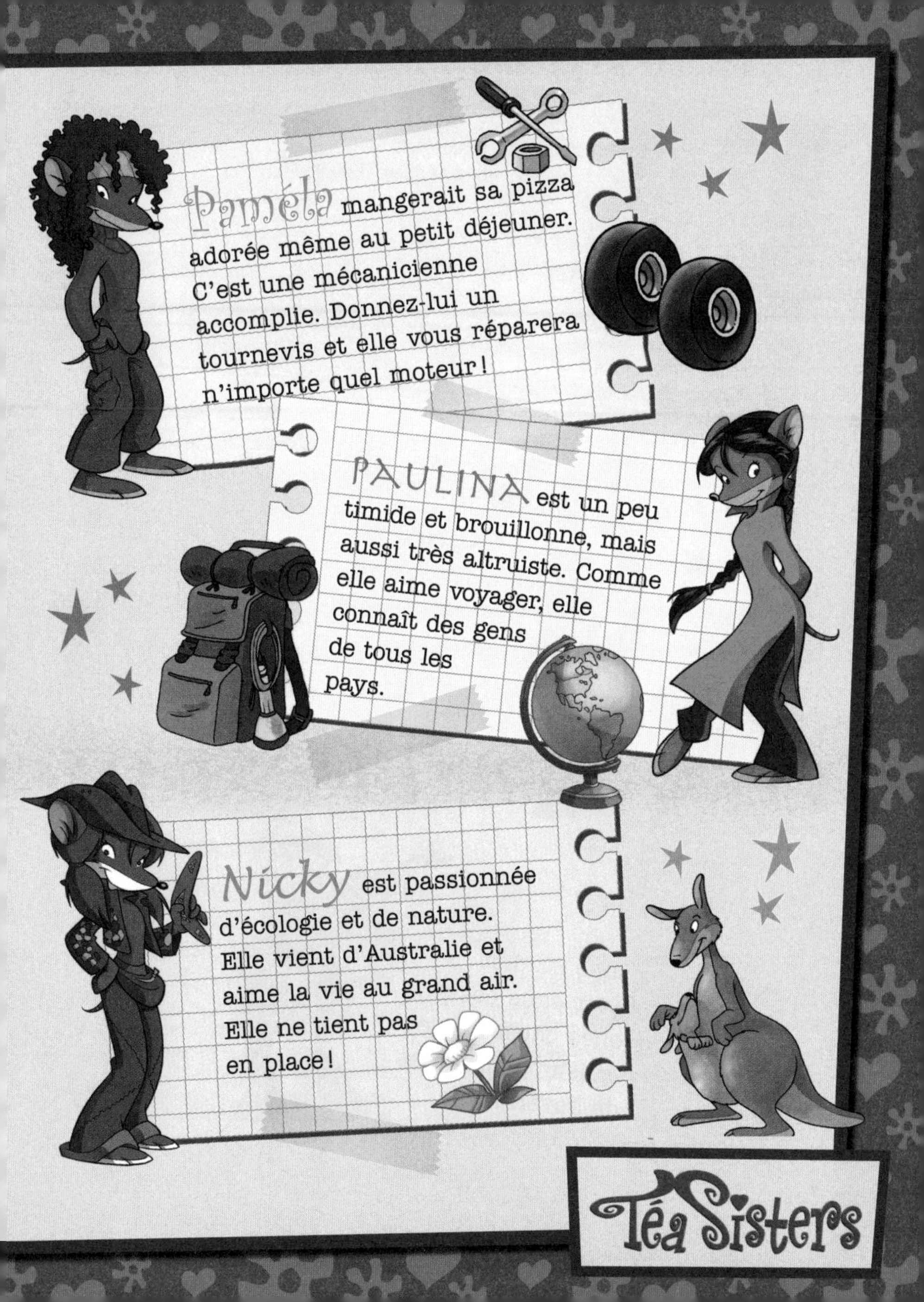
Paméla mangerait sa pizza adorée même au petit déjeuner. C'est une mécanicienne accomplie. Donnez-lui un tournevis et elle vous réparera n'importe quel moteur !
PAULINA est un peu timide et brouillonne, mais aussi très altruiste. Comme elle aime voyager, elle connaît des gens de tous les pays.
Nicky est passionnée d'écologie et de nature. Elle vient d'Australie et aime la vie au grand air. Elle ne tient pas en place !
Téa Sisters

Texte de Téa Stilton.
*Basé sur une idée originale d'*Elisabetta Dami.
*Coordination des textes d'*Alessandra Berello *(Atlantyca S.p.A.).*
Sujet et supervision des textes de Carolina Capria *et* Mariella Martucci.
Coordination éditoriale de Patrizia Puricelli.
Édition de Daniela Finistauri.
Coordination artistique de Flavio Ferron.
Assistance artistique de Tommaso Valsecchi.
Couverture de Giuseppe Facciotto.
Illustrations intérieures de Barbara Pellizzari *(dessins) et* Francesco Castelli *(couleurs).*
Graphisme de Chiara Cebraro.
Cartes: Archives Piemme.
Traduction de Béatrice Didiot.

www.geronimostilton.com

Pour l'édition originale:
© 2011, Edizioni Piemme S.p.A. – Corso Como, 15 – 20154 Milan, Italie
sous le titre *Missione « mare pulito »*
International rights © Atlantyca S.p.A. – Via Leopardi, 8 – 20123 Milan, Italie
www.atlantyca.com – contact: foreignrights@atlantyca.it
Pour l'édition française:
© 2013, Albin Michel Jeunesse – 22, rue Huyghens, 75014 Paris
www.albin-michel.fr
Loi 49-956 du 16 juillet 1949 sur les publications destinées à la jeunesse
Dépôt légal: premier semestre 2013
Numéro d'édition: 20777
Isbn-13: 978 2 226 24756 8
Imprimé en France par Pollina s.a. en avril 2013 - L63817B

Téa Stilton

LE SAUVETAGE DES BÉBÉS TORTUES

ALBIN MICHEL JEUNESSE

RETOUR À LA PLAGE

Une lune parfaitement ronde, auréolée de mille étoiles scintillantes, éclairait la plage des Tortues, plongée dans le silence d'une paisible nuit d'été.

Soudain, la mer, qui clapotait doucement, se rida, et des ondes émergèrent progressivement deux silhouettes... Un rayon de lune illumina les carapaces mouillées de deux grandes tortues marines, qui progressèrent lentement sur le rivage.

À l'endroit même où elles étaient nées vingt-cinq ans plus tôt, elles revenaient déposer leurs œufs.

Une fois trouvé le coin approprié pour leur nid, les futures mamans **tortues** creusèrent de profonds trous, au fond desquels elles déposèrent leur ponte. Elles la recouvrirent soigneusement et, tandis que l'**OBSCURITÉ** cédait aux premières lueurs de l'aube, repartirent en direction de l'eau.

Retour à la plage

Ce MATIN-là, Nicky et Paulina, ignorant encore ce qui s'était passé, se réveillèrent tout excitées : elles s'apprêtaient à assister à la grande rencontre internationale des **SOURIS BLEUES*** ! Cette année, celle-ci se tenait en Norvège, dont les deux amies brûlaient de **DÉCOUVRIR** les magnifiques fjords**.

** Les Souris Bleues sont une association écologiste dont les Téa Sisters sont membres.*

*** Étroits et profonds, les fjords sont d'anciennes vallées glacières envahies par la mer qui pénètrent loin dans les terres.*

– Que dirais-tu d'aller faire trempette avant de partir ? demanda Paulina en feuilletant un guide de la Scandinavie.

– C'est une *excellente* idée ! D'autant que ce pourrait bien être notre dernière baignade de la saison : je ne sais pas si j'aurai le courage de plonger dans les eaux **GLACIALES** du Nord... répondit Nicky en se laissant tomber sur son énorme **VALISE**, qui ferma à grand-peine.

Les deux jeunes filles quittèrent leur chambre du collège de Raxford pour la plage des Tortues. Dès qu'elles arrivèrent, elles remarquèrent d'étranges traînées sur le sable, comparables à des empreintes de **PNEUS**.

– Quelqu'un est venu ici en voiture ?! s'alarma

Nicky. Cependant... les traces FINISSENT dans la mer ! Comment est-ce possible ? Suivant les sillons en sens inverse, Paulina et Nicky s'aperçurent que, là où ils s'interrompaient, le SOL avait été remué.
– Mais bien sûr ! s'écria Nicky en se frappant le front. Comment n'y ai-je pas pensé tout de

suite : ce ne sont pas des empreintes de pneus, mais celles de caouannes !

Paulina fixa son amie d'un air interrogateur.

– Des caouannes ? Qu'est-ce que c'est ?

– C'est une espèce RARE de tortues marines qui enfouissent leur *ponte* dans le sable, expliqua Nicky. C'est ce qu'elles ont dû faire ici !

– Il faut immédiatement en avertir le professeur Van Kraken ! s'exclama Paulina en extrayant son téléphone **portable** de sa poche.

Peu après, Ian Van Kraken, qui enseignait la biologie marine à Raxford, les rejoignit sur la **PLAGE DES TORTUES** et indiqua les premières mesures à prendre :

– Avant tout, nous devons isoler cette zone et protéger le nid jusqu'à l'éclosion des œufs, dans environ un mois et demi. Il s'agit de le mettre à l'abri des

curieux et des INTEMPÉRIES. Puis il faudra contrôler tous les jours la température et l'humidité du sable…
Nicky et Paulina échangèrent un REGARD entendu et proposèrent avec ENTRAIN :
– Pourrait-on s'en charger, monsieur ?
– Vraiment ? Mais cela vous obligera à renoncer à votre VOYAGE !
– Nous pouvons voyager autant que nous le voulons… Mais aider ces tortues à naître est une expérience unique que nous ne raterions à aucun prix ! s'exclamèrent les jeunes filles avec conviction.

UN MOIS PLUS TARD...

– Le meilleur **DOCUMENTAIRE** animalier réalisé par Musaron est incontestablement *Le Macaque amoureux* ! affirma Nicky d'un ton **FERME**.

– C'est sûrement l'un des plus **captivants**, admit Paulina. Mais que fais-tu d'*Un requin en* **damier** ?

– Tu as raison, il est magnifique aussi, soupira Nicky. Je capitule : impossible de départager ses films, ils sont tous fabuleux !

Assises dans les premières rangées de l'amphithéâtre à côté de Nicky et de Paulina, Colette et Violet échangèrent un sourire : quel plaisir de voir leurs amies aussi passionnées ! Pour ces dernières, l'année scolaire COMMENÇAIT de manière mémorable : James Musaron, leur metteur en scène préféré, avait accepté de donner un COURS à Raxford !
Il ne manquerait pas d'y révéler tous les secrets des époustouflants documentaires qu'il tournait aux quatre coins de la planète sur la vie des espèces rares et en voie d'extinction.
– Violet, Coco, lequel de ses reportages préférez-vous ? demanda Nicky.
– Moi, j'ai bien aimé *Un grillon pour ami*, répondit Violet, attendrie à la pensée de Frilly, le GRILLON de compagnie qu'elle gardait

Le grillon Frilly

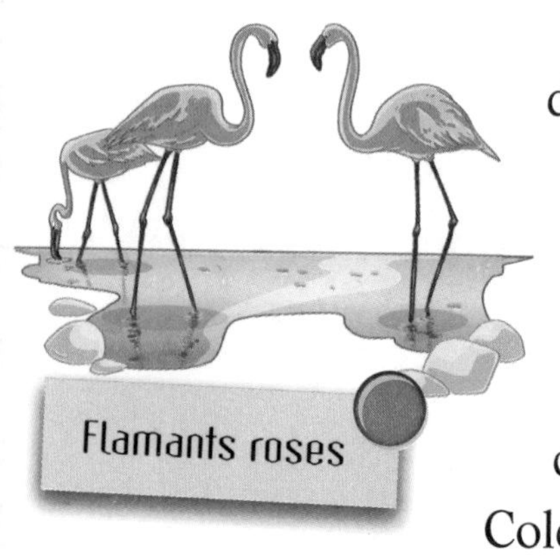

Flamants roses

dans sa chambre, à l'abri dans une petite citrouille séchée.

– Personnellement, j'ai un faible pour *Un nuage de flamants roses* : il est si spectaculairement... **ROSE !** avoua Colette.

Les autres éclatèrent de rire : Colette avait le don de RELEVER le côté rose de toute chose !

– Me voici ! Désolée du retard ! claironna Pam en s'**INSTALLANT** à côté de ses amies.

– *Ne t'inquiète pas* : James Musaron n'est pas encore arrivé, la rassura Paulina.

– Tant mieux ! lâcha son amie en reprenant son souffle. J'ai passé une DRÔLE de matinée : où que j'aille, je tombais sans cesse sur le même garçon, qui me barrait la route !

– Tu le connais ? s'enquit Violet, **INTRIGUÉE**.

– Pas du tout... Je ne l'avais **JAMAIS** vu avant.
– Qui cela pourrait-il bien être ? réfléchit Paulina. Un nouvel **ÉTUDIANT** ?
– Mmmh, je ne crois pas, répliqua Pam. J'ai remarqué qu'il avait une **caméra** vidéo, avec laquelle il filmait le moindre recoin du collège...
– Il s'agit peut-être d'un journaliste désireux d'interviewer Musaron, suggéra Nicky.
– Peut-être... concéda Pam pensivement. À

la fin, alors que je me PRÉCIPITAIS ici, nous nous sommes tamponnés et nous sommes tombés par terre !

Au même moment, une bruyante SALVE d'applaudissements retentit dans l'amphithéâtre : James Musaron venait de faire son entrée. Il était accompagné du recteur Octave Encyclopédique de Ratis et d'un jeune homme… muni d'une **caméra** !

UN MOIS  PLUS TARD…

– Par mille bielles débiellées, c'est lui !!!…

Pam n'en CROYAIT pas ses yeux : le garçon contre lequel elle n'avait cessé de buter pendant la première partie de la JOURNÉE n'était autre que l'assistant du célèbre réalisateur !

UN NOUVEL AMI !

Après une brève **PRÉSENTATION** du recteur, James Musaron prit la parole et raconta que les MYSTÈRES de la nature environnante le fascinaient depuis son enfance.

Pour son douzième anniversaire, il avait reçu sa première caméra vidéo, qui était aussitôt devenue l'INSÉPARABLE compagne de ses explorations. Une fois adulte, il avait donc décidé d'étudier la mise en scène et de faire de la NATURE inviolée ainsi que des animaux sauvages les **HÉROS** de ses films.

Gagnés par la *passion* qui se dégageait de son récit, les étudiants l'écoutaient bouche bée. Ainsi le cours passa-t-il à la vitesse de l'éclair.

– Nous, maintenant, il faut qu'on y aille ! La plage des Tortues nous attend ! conclut Nicky en s'éloignant **RAPIDEMENT** dans le couloir en compagnie de Paulina.

Colette les salua de la main, puis se tourna vers ses amis demeurés près de l'amphithéâtre.
– Quel ENCHANTEMENT, cette première leçon de Musaron ! s'exclama-t-elle.
– Elle m'a donné envie de tourner un documentaire ! commenta Shen, avec enthousiasme.
– À moi aussi, renchérit Violet. Mais tu as entendu : derrière chacune de ses ŒUVRES, il y a un immense travail !
– Moi qui pensais que pour surprendre les bêtes dans leur HABITAT il suffisait de bien se cacher et d'attendre… ajouta Craig.
– Loin de là ! rectifia Pam. Tout d'abord, il faut une parfaite connaissance des habitudes des ANIMAUX et des caractéristiques de leur environnement, puis une infinie PATIENCE… et des assistants efficaces !
À ce moment, Pam sentit qu'on lui tapotait l'épaule. En se retournant, elle se retrouva

justement face à face avec l'**ASSISTANT** de Musaron.

– Salut, moi, c'est Mike et, euh... bredouilla-t-il, **EMBARRASSÉ**, je voudrais m'excuser pour ce matin : j'ai vraiment agi comme un **MALOTRU** !

– C'est plutôt à moi de faire profil bas ! J'ai

déguerpi sans un mot ! J'espère que ta **caméra** n'a pas souffert… répondit Pam.

Le garçon **SOURIT** :

– Ne t'en fais pas, je ne l'ai pas laissée tomber ! Une fois, alors que je me trouvais en **INDE**, il a suffi d'un instant de distraction pour qu'un **MACAQUE** me l'enlève des mains ! Depuis, j'y fais très attention.

Tous **ÉCLATÈRENT** de rire.

Mike se révéla immédiatement très sympathique. Il expliqua que son rêve était de devenir un grand documentariste, comme son **MAÎTRE** en la matière, James Musaron.

Après de nombreuses années d'études, il se sentait désormais prêt à tourner son premier **FILM** en solo, mais il lui restait à dénicher un sujet original.

Violet, Pam et Colette échangèrent un regard COMPLICE.

– Nous avons peut-être ce qu'il te faut ! déclara Pam. Tu es partant pour une sortie à la plage ? Il y a là-bas deux de nos AMIES que tu gagnerais à connaître…

LES GARDIENNES DU NID

Après le cours de James Musaron, Nicky et Paulina s'étaient **PRÉCIPITÉES** à la plage pour s'occuper du nid des tortues, comme elles avaient pris l'habitude de le faire depuis plusieurs **semaines**.

9 JUILLET :
Le nid est clôturé !

14 AOÛT :
Garde de nuit !

– Une excellente nouvelle : la température du SOL est constante ! se réjouit Nicky en NOTANT l'information.

– C'est incroyable : les petits naîtront d'ici quelques jours ! s'émerveilla Paulina.

Et d'ajouter avec une pointe de mélancolie :

– Tout ça va me manquer !

La jeune fille regarda autour d'elle. Le sable brillait sous les rayons du soleil, et seul le clapotis régulier des vagues s'échouant sur le rivage venait briser le silence. Paulina ferma les yeux et inspira profondément l'air marin, lorsqu'une voix STRIDENTE rompit le charme du moment :

POUF... POUF...
HOP, HOP !

TEMPÉRATURE OK !

– Hé, les gardiennes du nid, comment ça va ?
Celle qui criait ainsi n'était autre que Vanilla. Passant à petites foulées non loin en compagnie des Vanilla Girls, elle s'exclama :
– Vous êtes encore en train de prendre soin de ces misérables œufs ?!
– Oui, qu'y a-t-il de si étrange à cela ?
– Rien… D'ailleurs, couver me semble une

activité parfaite pour des *poulettes* comme vous ! Cot, cot, cot !
Vanilla éclata d'un rire **TONITRUANT**, aussitôt imitée par ses amies.
Tandis que les Vanilla Girls s'éloignaient, Nicky observa, AGACÉE :
– Elles sont vraiment insupportables !
– C'est vrai… Mais il ne faut pas accorder d'importance aux railleries de Vanilla, répondit Paulina d'un ton tolérant.
Les deux filles entendirent alors une voix familière qui les appelait :
– NICKY !!! PAULINA !!!
C'était Pam qui ***ACCOURAIT***, accompagnée de Colette, de Violet et de l'assistant de Musaron.
– Hé, les filles, qu'est-ce que vous venez faire ici ? Et… pourquoi une telle précipitation ? s'enquit Paulina, surprise.

– Nous sommes passées vous dire que nous avons parlé à Mike du nid de tortues marines sur lequel vous veillez… expliqua Violet.

– … et nous sommes RAVIES de vous annoncer… que vos caouannes seront bientôt les HÉROÏNES d'un magnifique documentaire ! termina Paméla.

Première interview !

Mike DISCUTA longuement de son projet avec Nicky et Paulina. Ensemble, ils décidèrent que son reportage ne comporterait pas seulement des informations générales sur les tortues, mais aussi des entretiens avec ceux qui s'étaient occupés des œufs, et se conclurait par le tournage de leur ÉCLOSION.

Les Téa Sisters étaient emballées.

– Grâce à ce **DOCUMENTAIRE**, tout le monde comprendra l'importance de mettre en pratique la devise des Souris Bleues : « LA NATURE A BESOIN DE TOI ! »

Le lendemain après les **cours**, Colette, Violet et Mike montèrent à bord du **QUATRE-**

QUATRE de Pam et prirent la direction du sud. Destination : Villa Marée, où se trouvait le laboratoire de Ian Van Kraken.

Le professeur de BIOLOGIE MARINE étant la première personne à laquelle Nicky et Paulina s'étaient adressées après avoir découvert le *nid*, le film ne pouvait donc manquer de lui donner la parole.

– Bienvenue, jeunes gens ! s'exclama l'enseignant en accueillant ses hôtes sur le lieu de ses RECHERCHES. Je suis prêt à répondre à vos questions !

En suivant les indications de Mike, les Téa Sisters *montèrent* prestement un petit plateau de tournage et lancèrent l'interview.

– Professeur Van Kraken, pouvez-vous nous expliquer l'**ENJEU** du travail réalisé par vos étudiantes ? s'enquit Colette après que Mike eut mis en marche la caméra.

Prêt pour l'interview,
professeur ?
Bien sûr !

Après s'être éclairci la voix avec un brin d'EM-BARRAS, celui-ci répondit :

– Les tortues caouannes sont une espèce menacée d'extinction, voyez-vous. Pour s'assurer qu'il en naisse de nouvelles, il est donc fondamental de protéger leur ponte des menaces extérieures.

Les jeunes filles acquiescèrent et il poursuivit :

– Quand les œufs enfouis dans le sable s'ouvrent, les petits remontent lentement à la surface et, la nuit venue, prennent le CHEMIN de la mer en s'aidant de la lumière des étoiles.

– Extraordinaire ! murmura Colette.

– Selon de nombreuses études,

CARTE D'IDENTITÉ
Nom scientifique : caouanne (*Caretta caretta*)
Alimentation : crabes, mollusques, méduses
Période de reproduction :
juin, juillet, août
Incubation des œufs :
minimum 40 jours

si les jeunes tortues ne sont pas DÉRANGÉES, elles mémorisent l'emplacement de la plage, et, devenues ADULTES, reviennent pondre exactement au même endroit ! ajouta-t-il.

À la fin de ce long entretien, les Téa Sisters aidèrent Mike à ranger le matériel.

– Votre enseignant a été fantastique ! commenta le jeune homme. La première interview est dans la boîte ! Demain, je ferai quelques prises du nid…

– Dans ce cas, nous réinstallerons l'**ÉQUIPEMENT** sur la plage ! proposa Pam avec entrain.

La compagnie bavarda sans interruption durant tout le trajet du retour et se retrouva rapidement au collège. Totalement absorbés par leurs

ÉCHANGES d'opinions et l'évocation de leurs projets, ils ne s'aperçurent pas que leurs paroles avaient retenu l'attention de quelqu'un…

VANILLA GIRLS AU RAPPORT

Vanilla avait capté des BRIBES de la conversation entre les Téa Sisters et Mike qui l'avaient aussitôt **INTRIGUÉE**.

« Que peuvent-elles bien mijoter, cette fois ? » songea-t-elle en se DIRIGEANT vers la cantine.

À l'entrée, elle fut bousculée par Elly, qui se ruait dehors.

– Hé, regarde où tu mets les pieds ! s'écria Vanilla, INDIGNÉE.

– Excuse-moi ! Je cours à la plage des Tortues apporter du ravitaillement à Nicky et à Paulina. Je leur ai préparé des petits gâteaux…

Une lueur d'intérêt s'alluma dans les yeux de

Vanilla et elle interrompit Elly :

– À propos… Sais-tu ce que **TRAMENT** les Téa Sisters ? Récemment, je les ai vues en compagnie de l'assistant de Musaron…

Le visage de sa camarade s'**éclaira**.

– Comment, tu ne sais pas ? Mike veut réaliser un reportage sur la naissance des **tortues** et il a demandé aux filles de l'aider !

Vanilla en resta bouche bée, mais, avant même qu'elle ait pu répondre, Elly s'éloigna en disant :

– Désolée, je dois ***FILER*** ! Salut !

Vanilla n'eut pas un instant d'hésitation : il fallait convoquer sur-le-champ une réunion

d'URGENCE avec les Vanilla Girls !

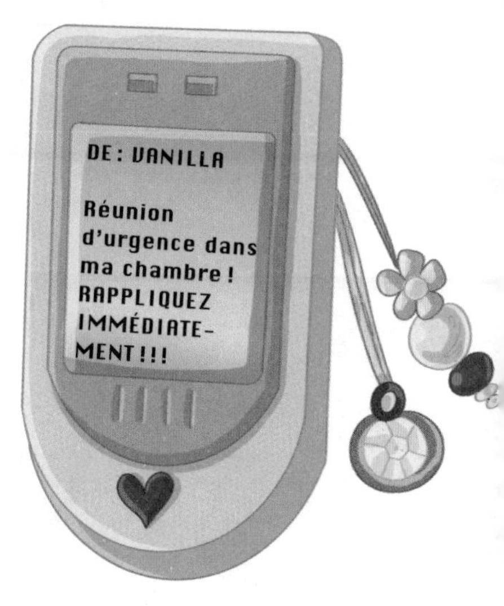

– Vous vous rendez compte ! GLAPIT-elle dès qu'elle se trouva avec ses amies dans sa chambre. Les Téa Sisters vont être les héroïnes d'un documentaire ! Rien que pour avoir perdu leur temps avec ces stupides œufs !

– Ben, il faut reconnaître qu'elles ont consacré tout leur été à ce nid ! observa Connie.

– Ce qu'elles ont fait ne m'intéresse pas ! trancha Vanilla. Je ne permettrai pas que les Téa Sisters focalisent l'ATTENTION de tout le collège !

– Enfin, Vanilla… intervint Alicia. Ce sont de vraies écologistes…

Sa camarade ne lui laissa pas le temps de finir sa phrase.

Peu importe !
Mais... ce sont de vraies écologistes !

– Si ce n'est que ça… on peut devenir des écologistes, nous aussi !
Les Vanilla Girls la regardèrent, PERPLEXES.
– Je ne suis peut-être pas une grande amie de la nature… expliqua-t-elle avec un sourire en coin, mais j'ai un immense talent d'actrice !

UN LOOK DE PREMIÈRE CLASSE

Le lendemain matin, Nicky et Paulina entendirent **FRAPPER** à la porte de leur chambre.

– Il n'est même pas 7 heures… Qui cela peut-il bien être ? se demanda Paulina, encore tout ensommeillée, en allant ouvrir.

Sur le seuil se dressait une montagne de **vêtements** d'où sortaient deux jambes.

Une voix sonore intima :

– *Vite, aidez-moi ! Prenez ces habits, j'en ai encore d'autres à aller chercher !*

– Colette, qu'est-ce que tu nous

apportes là ? s'étonna Paulina en aidant son amie à déposer son fardeau sur le lit.
– Les **tenues** à choisir, évidemment ! répondit sa camarade.
Colette se rua hors de la pièce et revint peu après, les bras **CHARGÉS** d'accessoires et de produits de maquillage.
– Prêtes pour l'essayage ?
– L'**ESSAYAGE** ?! répétèrent en chœur les deux autres.
– Oui, ensuite on s'occupera des coiffures et, bien sûr, des derniers **AJUSTEMENTS** à votre toilette.
Paulina fronça les sourcils.
– Coco, pourrais-tu, s'il te plaît, nous expliquer…
– … ce que sont ces extravagances ? termina Nicky.
Colette s'indigna :
– Enfin, les filles ! C'est aujourd'hui le jour de

STYLE SPORTIF
GLAMOUR

STYLE ATHLÈTE
VINTAGE

STYLE MARIN

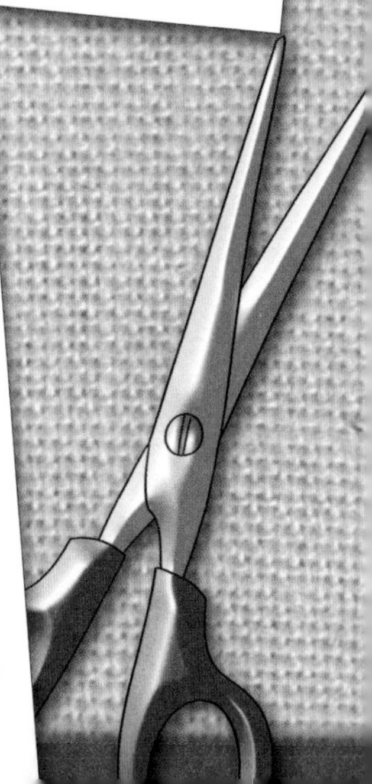

Le bon LOOK, en harmonie avec la nature !

STYLE CASUAL CHIC

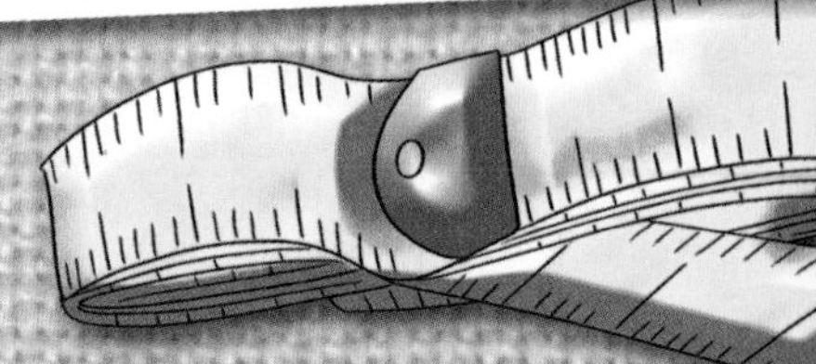

TÉA SISTERS ET SOURIS BLEUES EN ACTION !

votre interview pour le documentaire de Mike ! Il vous faut un look épatant !

Nicky et Paulina se **REGARDÈRENT** en soupirant. Sachant qu'il n'y avait pas moyen de résister à l'*OURAGAN* Colette, elles laissèrent leur amie œuvrer.

Après un **interminable** défilé de combinaisons, pantalons, chapeaux, foulards, barrettes et autres serre-tête, Colette se déclara enfin *satisfaite*.

– Il ne manque plus que la touche finale ! Mais où les ai-je mis ? marmonna-t-elle.

Après avoir fourragé dans le TAS d'habits, elle en sortit deux hauts avec le logo des Souris Bleues.

– J'ai légèrement REVU les T-shirts à l'enseigne de votre association ! commenta-t-elle en leur montrant les deux vêtements sur lesquels elle avait cousu une myriade de petites perles brillantes.

– Merci, Coco ! Ils sont magnifiques !

Nicky et Paulina purent enfin partir. Mike les attendait sur la plage des Tortues, où Pam et Violet l'avaient aidé à MONTER le plateau de TOURNAGE. Progressivement, Paulina se détendit face à la caméra.

– En tenant compte des caractéristiques du SABLE de ce site, commença-t-elle à expliquer tout en relevant la température au sol, nous avons estimé que les bébés tortues devraient pointer leur nez d'ici…

– Attends ! l'interrompit Pam, qui faisait office de technicien du son. J'entends un BRUIT…

Violet tendit l'oreille.

– Mais, c'est… une chanson ! s'exclama-t-elle.

Quatre jeunes filles approchaient en vocalisant à pleins poumons :

– LAISSEZ PASSER LES LIBELLULES DORÉES, GLAMOUR, CHIC ET ÉCOLOGISTES NÉES !

Ce n'étaient autres que les Vanilla Girls ! Ignorant les Téa Sisters, Vanilla tendit IMMÉDIATEMENT la main à Mike.

– Enchantée, je suis Vanilla de Vissen, présidente des *Libellules dorées*. Mes amies et moi sommes venues apporter notre soutien à la protection de ces pauvres petites **créatures** !

– Les Libellules dorées ? Qu'est-ce que c'est que ça ?! fulmina Colette.

– Ah, en effet… répondit Vanilla. **PEUT-ÊTRE** n'ai-je pas eu le temps de vous en parler. C'est un mouvement de défense de l'environnement sponsorisé par Vissia Cosmétiques, l'entreprise de ma mère.

– Quand a-t-il été fondé ? voulut savoir Pam.

– Cet **ÉTÉ** ! répliqua instantanément Vanilla.

Nous sommes les Libellules dorées !
Hein ?
STOP, NID !

Et d'ajouter d'une voix mélodramatique :
– Nous aussi, nous avons SACRIFIÉ nos vacances pour secourir ces pauvres bêtes en difficulté !
En Nicky germa aussitôt le SOUPÇON que l'histoire des Libellules dorées n'était qu'une mise en scène. Mais avant qu'elle ait pu poser des questions complémentaires, son PORTABLE se mit à sonner.
– Allô ? Professeur Van Kraken, que se passe-t-il ? interrogea-t-elle.
Après un moment de silence, elle ajouta sur un ton grave :
– Oui, bien sûr. Nous arrivons tout de suite !
Dès qu'elle eut raccroché, elle se tourna vers ses amies et annonça :
– Il faut se rendre de toute URGENCE à la Villa Marée !

Réunion d'urgence !

Au LABORATOIRE de biologie marine, les Téa Sisters étaient attendues par le professeur Van Kraken, mais aussi par Elly et Tanja.

– Un PROBLÈME a été détecté au large de l'île des Baleines, les informa cette dernière. L'alerte aux algues envahissantes a été lancée !

– Qu'est-ce que cela signifie ? s'enquit Colette.

– Parfois, après un HIVER particulièrement froid, certaines espèces d'algues prolifèrent de manière excessive, portant atteinte à l'écosystème marin… expliqua leur enseignant.

Vanilla, qui, avec ses amies, s'était jointe au petit groupe, ronchonna :

QUELLE BARBE !

– Qu'est-ce que vous voulez que ça nous fasse, ces quelques algues ?

Mais, voyant que Mike FILMAIT la scène, elle adressa un sourire forcé à la caméra et ajouta :

– ... alors que nos adorables protégées nous attendent !

– C'est précisément là le problème ! intervint Elly. Les algues pourraient PROGRESSER jusqu'à la côte ouest et atteindre la plage des Tortues, menaçant l'éclosion des œufs !

Ian Van Kraken acquiesça GRAVEMENT.

– Oui, les petits sont en DANGER, mais j'ai déjà pensé à une solution, déclara-t-il. Pour préserver le

nid, nous allons installer le long du littoral des barrages **FLOTTANTS** anti-algues.
– Comment fonctionnent-ils ? demanda Pam.
Elly s'approcha du tableau noir et y traça un SCHÉMA.

– Ce dispositif retiendra les organismes envahissants au large, c'est-à-dire à bonne DISTANCE de la plage des Tortues, précisa-t-elle.
– Je me mets immédiatement en CONTACT avec un collègue de l'Observatoire marin de l'île des

Souris pour qu'il me fournisse le **MATÉRIEL** ! annonça le professeur Van Kraken.
– Après, il faudra trouver le moyen de gagner la haute mer pour l'y **INSTALLER** ! observa Paulina.
Prenant la parole, Alicia proposa innocemment :
– Vanilla pourrait vous prêter son **scooter** des mers… 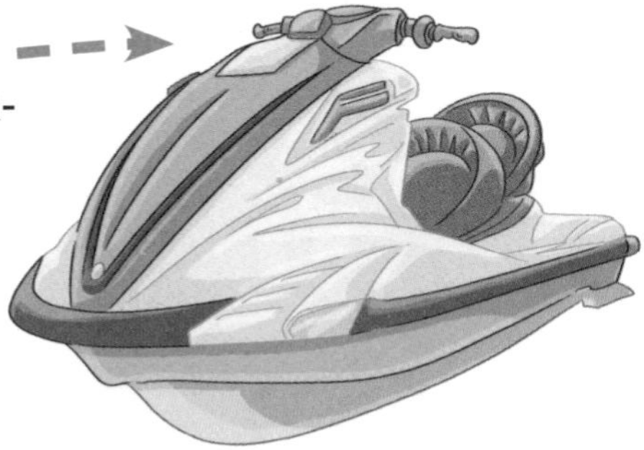
– Merci de ton offre, répondit Paméla, tandis que Vanilla **foudroyait** son amie du regard, mais je crains que cela ne suffise pas : pour transporter ces protections, nous aurons besoin d'une embarcation plus grande…
Pendant un moment le silence régna, puis Colette s'écria :
– Les **PÊCHEURS** !

– Que viennent-ils faire ici ?! s'étonna Pam.
– Nous pouvons leur DEMANDER de nous aider ! Allons voir Léopold Rondouillard !

ON LÈVE L'ANCRE !

Deux heures plus tard, deux bateaux de PÊCHE, le *Raclette I* et le *Raclette II*, étaient prêts à prendre la mer pour faire face à l'invasion des algues.

Soucieux du sort des tortues, de nombreux étudiants de Raxford s'étaient également précipités au port, tout comme Musaron, qui s'était aussitôt déclaré disponible pour participer à l'OPÉRATION.

– Il y a quelque temps, j'ai tourné un documentaire sur une menace ENVIRONNEMENTALE de ce genre. Mon expérience pourra peut-être vous servir !

Le matériel du barrage flottant avait déjà été chargé à bord des embarcations.

– Parfait ! déclara le professeur Van Kraken. Nicky, Mike et moi allons rejoindre l'équipage du Raclette I, tandis que monsieur Musaron et Paulina embarqueront sur le Raclette II.

– Et nous ? Avec qui allons-nous ? s'enquit Vanilla en se frayant un chemin avec les filles de sa bande.

PRÊTS À LEVER L'ANCRE !

– Vous restez ici ! répondit Pam. S'il y a trop de monde sur les bateaux, cela finira par gêner !
– Nous, gêner ?! répliqua Vanilla, **OUTRÉE**. Je te rappelle que nous sommes les Libellules dorées : **GLAMOUR**, *chic* et *écolog*...
– Si vous voulez, vous pouvez nous accompa-

gner à la plage des Tortues, l'interrompit Colette en SOUPIRANT.

– Pour quoi faire ? grommela Vanilla, encore VEXÉE.

– Selon le professeur, afin d'éviter que les œufs courent le moindre risque, il faut au plus TÔT transférer le nid à la plage des Ânons…

Vanilla fixa un INSTANT Colette, puis, haussant les épaules, acquiesça :

– Bon, OK, PARTEZ devant ! On arrive tout de suite.

Une fois que Colette, Pam et Violet se furent éloignées, Connie, ÉTONNÉE, interrogea son amie :

– On va vraiment aider les Téa Sisters à déplacer le nid ?

– Tu plaisantes ! rétorqua Vanilla. Ces stupides bestioles ne m'intéressent pas : tout ce que je veux, c'est être l'HÉROÏNE du film ! Et pour cela, il nous faut suivre Mike et sa caméra vidéo. Mais rien ne nous oblige à naviguer sur une épave...

Sur ces mots, la jeune fille sortit son **portable** et composa le numéro de son majordome.

– Alan ? Prépare le yacht. **On lève l'ancre dans dix minutes !**

Opération barrage !

– Raclette II appelle Raclette I, vous m'entendez ? À vous !

La voix de Paulina GRÉSILLA dans l'émetteur-récepteur accroché à la ceinture de Nicky. La jeune fille s'empressa de répondre.

– Ici *Raclette I*, nous vous recevons FORT et clair ! À vous !

– Nous avons REJOINT l'objectif. Où êtes-vous ? À vous !

– Nous atteignons la position à l'instant. Allons installer le barrage. Terminé !

Les deux bateaux de pêche

avaient rapidement gagné la haute mer et les deux équipages s'apprêtaient à réaliser la MANŒUVRE la plus délicate : mettre à l'eau le barrage flottant. Mike entreprit de faire une prise panoramique de l'HORIZON. Il entendit soudain un battement d'aile et, AUSSITÔT après, la tête d'une mouette s'encadra dans l'objectif. Perché sur le parapet

à quelques centimètres de lui, l'oiseau arborait une expression **HOSTILE**.

– AAAHHHH !!! hurla Mike, en jetant sa précieuse caméra en l'air sous l'effet de la surprise.

Heureusement, Nicky, qui était toute proche, l'attrapa au vol.

– Tu ne nous avais pas dit que tu ne t'en séparais jamais ? le TAQUINA-t-elle en lui rendant l'appareil.
– Euh… j'ai eu un moment de frayeur… répliqua gentiment le jeune homme.
L'émetteur-récepteur GRÉSILLA de nouveau :
– *Raclette II* appelle *Raclette I* ! Nous avons fini d'ancrer le MATÉRIEL ! À vous !

Nicky jeta un coup d'œil à la poupe et croisa le regard de Léopold. Le jeune pêcheur lui adressa un SOURIRE et un signe voulant dire que l'opération était bouclée.
La jeune fille s'empressa alors d'informer Paulina :
– Ici *Raclette I* : mission accomplie pour nous aussi !
Heureux d'avoir mené à bien l'OPÉRATION,

BRAVO !
MISSION ACCOMPLIE !
RACLETTE I
RACLETTE II

les deux équipages applaudirent à tout **ROMPRE**.

Mais les réjouissances furent brusquement interrompues par un bruyant coup de tonnerre, qui n'augurait rien de bon.

– Dépêchons-nous de rentrer au port ! dit Léopold, soucieux, en scrutant les gros **NUAGES** sombres qui s'accumulaient au loin. Une tempête se prépare !

PERDUS DANS LA TEMPÊTE !

Le ciel s'était chargé de nuages NOIRS et si bas qu'ils semblaient prêts à écraser la SEULE embarcation restée en mer : le yacht de la famille de Vissen.

Le périple des Vanilla Girls pour rejoindre les deux bateaux de PÊCHE avait débuté sans problème. Cependant Alan, qui s'était improvisé timonier pour satisfaire Vanilla, s'était rapidement aperçu que la route suivie par le Raclette I et le Raclette II était plus difficile à reconstituer que prévu.

Et, comme si cela ne suffisait pas, de grosses gouttes de PLUIE avaient commencé à s'abattre sur le navire.

Le **majordome** avait suggéré de rentrer au port, mais Vanilla n'avait rien voulu savoir et lui avait ordonné de maintenir le cap vers le LARGE. Au bout d'un moment, alors que le jour cédait à la nuit, Alan se rendit compte qu'ils s'étaient perdus en pleine mer.

– Je regrette, mademoiselle, mais personne n'a encore capté le S.O.S. que j'ai lancé avec la radio du bord ! annonça-t-il à la jeune fille.

S.O.S. !

– Et maintenant, qu'est-ce qu'on fait ? gémit Alicia.

– Alan, vous n'êtes décidément qu'un incapable ! Puisque c'est ça, c'est moi qui vais prendre la barre ! arbitra Vanilla.

Aucune réponse !
Pfff !
Que fait-on ?!

Quittant la cabine de pilotage, ses amies échangèrent un regard DÉCOURAGÉ.

– On est dans le pétrin… Vanilla ne connaît rien à la navigation ! lâcha Connie.

Jetant un coup d'ŒIL inquiet aux vagues qui AGITAIENT la surface de la mer, Zoé soupira :

– Nous allons devoir passer la nuit au beau milieu de la TEMPÊTE ! À moins que… nous essayions d'appeler une personne du collège !

– Mais Vanilla n'acceptera **JAMAIS** ! s'exclama Alicia.

– Dans ce cas, ce sera notre *petit* secret… conclut Connie en sortant son portable.

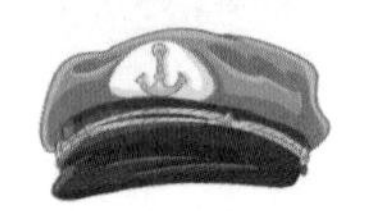

UN RETOUR MOUVEMENTÉ !

Une fois terminée l'opération de transfert des œufs à la plage des Ânons, Violet, Colette et Pam s'aperçurent qu'un gros orage menaçait et s'EMPRESSÈRENT de protéger le nid. Elles avaient si souvent observé Nicky et Paulina accomplir cette tâche qu'elles savaient comment procéder. Tandis que Colette et Violet tendaient et fixaient à des piquets une toile imperméable, Pam s'occupa de creuser un canal d'écoulement dans le SABLE. Recueillant l'eau de pluie, celui-ci permettrait au nid de rester aussi sec que possible.

Quand la ponte fut à l'abri, les trois Téa Sisters se PRÉCIPITÈRENT au port pour assister

VOILÀ !
QUEL VENT !

au retour des bateaux de pêche. Nicky et Paulina mirent pied à **terre**, mais leurs amies n'eurent même pas le temps de les **étreindre** qu'Elly surgissait sur le quai, tout essoufflée.
– Vite ! Il faut repartir ! s'écria-t-elle.
– Au cas où tu ne t'en serais pas aperçue, avec cette **tempête** une autre promenade en mer n'est pas vraiment **INDIQUÉE** !
– En effet, ce n'est pas le moment ! renchérit Nicky en **secouant** son imperméable pour en faire couler l'eau.
Colette ajouta en souriant :
– Heureusement, le nid est hors de danger et…
Elly l'**INTERROMPIT** aussitôt :
– Les amies, il n'y a pas de temps à perdre ! Les

Vanilla Girls ont embarqué sur le yacht de la famille de Vissen pour vous rejoindre et elles se sont perdues au **large** !

– Il faut immédiatement prévenir le professeur Van Kraken ! répliqua Nicky. Je crois qu'il a ce qu'il nous faut pour les ATTEINDRE rapidement !

Les **jeunes filles** coururent trouver l'enseignant, qui, averti de la situation, décida de reprendre la mer à bord de son canot pneumatique, avec Nicky, Paulina, Pam et Elly.
Peu après, tandis que la pluie continuait à tomber sans RELÂCHE, l'embarcation prit le large à toute vitesse, bondissant au-dessus des flots agités.
– Nous avons capté un S.O.S. ! Nous ne

devrions plus être loin ! s'exclama Paulina d'une voix forte, tandis qu'un éclair DÉCHI-RAIT le ciel.

– Je les aperçois ! cria Elly.

– Oui, les voilà ! dit Nicky en désignant un yacht en proie à la fureur des ÉLÉMENTS.

Au terme d'une habile manœuvre, le professeur Van Kraken rangea son bateau à côté du navire et aida Elly et les Téa Sisters à SECOURIR les Vanilla Girls.

– Euh, merci de votre INTERVENTION, lâcha Vanilla en montant sur le canot pneumatique. Même si on se débrouillait parfaitement toutes seules…

Lorsque les Vanilla Girls et Alan se trouvèrent, eux aussi, en SÉCURITÉ sur la petite embarcation, les Téa Sisters veillèrent à ce que tous revêtent un gilet de sauvetage.

– Tout le monde va bien ? s'enquit Nicky auprès

Les voilà !

Nous sommes ici !
À l'aide !

de Zoé en l'aidant à enfiler et à **boucler** son gilet.

– Oui, merci… Maintenant on se sent même beaucoup mieux ! répondit la jeune fille. **J'avoue que je n'ai jamais été aussi contente de vous voir !**

UN NID À PROTÉGER

De retour au collège, les Téa Sisters, Mike et les autres étudiants se réunirent dans la salle du Club des Lézards noirs pour faire le point de la situation en compagnie de James Musaron et d'Ian Van Kraken. La journée avait été FATIGANTE et riche en émotions, mais l'heure de se REPOSER n'était pas encore venue.

RÉUNION EN COURS !

– Aujourd'hui, nous avons fait un excellent travail ! commença le célèbre documentariste. Grâce au barrage FLOTTANT, les algues ne devraient pas atteindre la côte.

À ces mots, les élèves se réjouirent : le nid des **tortues** était hors de danger.

Leur professeur tempéra cependant leur **ENTHOUSIASME**.

– Un instant, jeunes gens ! Notre travail n'est pas fini, annonça-t-il d'un ton sérieux. L'éclosion

des œufs est imminente. Comme les petits mettront au moins deux jours pour monter à la SURFACE, il serait bon d'organiser des tours de surveillance sur la plage pendant cette phase **délicate**...

– Paulina et moi sommes volontaires pour le quart de NUIT ! s'écria Nicky sans hésiter.

Craig se LEVA.

– Toutes les deux, vous en avez assez fait pour aujourd'hui : vous avez l'air épuisées ! Je pense que vous avez besoin de récupérer.

– C'est vrai, intervint Shen. Détendez-vous maintenant... On s'occupe des œufs !

– Merci, répondit Nicky, reconnaissante.

Tandis que les autres établissaient le planning des tours de garde dans la petite CRIQUE, Paulina s'approcha de la fenêtre et murmura :

– Espérons que le temps s'AMÉLIORE... Cette pluie pourrait mettre les bébés en difficulté !

Nicky la rejoignit et, ENTOURANT d'un bras les épaules de son amie, la rassura :

– Ne t'inquiète pas : nos tortues sauront se débrouiller, tu verras !

PLANNING DES TOURS DE GARDE

OPÉRATIONS DE SURVEILLANCE DU NID :

- LE PROTÉGER DES PRÉDATEURS ET DES BAIGNEURS
- RELEVER LE DEGRÉ D'HUMIDITÉ ET LA TEMPÉRATURE DU SABLE
- CONTRÔLER LES CONDITIONS MÉTÉOROLOGIQUES

MERCREDI

NUIT : ELLY, VIK

JEUDI

JOUR : RON, TANJA

NUIT : SHEN, CRAIG

Amère surprise !

Deux jours plus tard, Nicky et Paulina furent réveillées par une chaude lumière DORÉE filtrant à travers leurs volets.

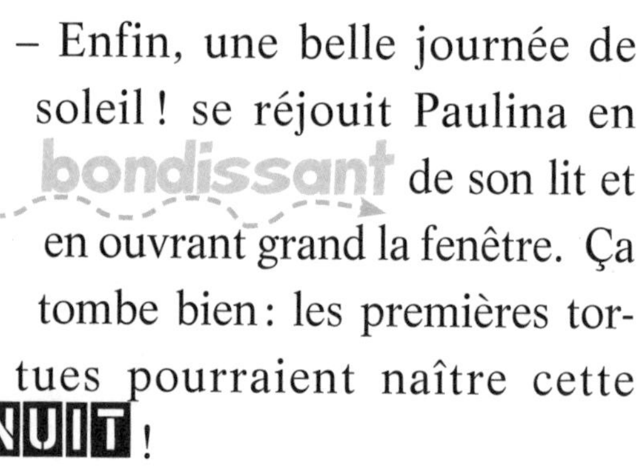

– Enfin, une belle journée de soleil ! se réjouit Paulina en bondissant de son lit et en ouvrant grand la fenêtre. Ça tombe bien : les premières tortues pourraient naître cette NUIT !

Après s'être frotté les yeux, Nicky jeta un REGARD au réveil posé sur la table de nuit et proposa timidement :

– Je sais que notre tour de garde ne

commence qu'à 8 heures, mais que dirais-tu de contacter les autres et de faire une inspection à la *plage* dès maintenant ?

– Ça me plairait aussi, répondit Paulina, mais je pense que Colette, Pam et Violet **dorment** encore…

Le portable de Nicky émit alors un **Tip ! Tibidip !**

C'était un message de Colette :

Leurs amies avaient eu la même idée !
Paulina et Nicky se préparèrent à toute vitesse et **PARTIRENT** avec les autres Téa Sisters vers la crique.
Sur place, une **AMÈRE** surprise les attendait.
– Par mille pistons grippés ! s'écria Pam en **ÉCARQUILLANT** les yeux. Que s'est-il passé ?
Toutes cinq ne pouvaient croire au spectacle qui s'offrait à elles : le **SABLE** était couvert de déchets charriés par la mer !

Craig et Shen **COURURENT** à leur rencontre.

– Les filles, la nuit dernière il y a eu une terrible *perturbation* en mer ! expliqua Craig.

– Nous avons fait tout notre possible pour protéger le nid, mais, comme vous pouvez le voir, la crique est dans un **TRISTE** état, compléta Shen.

– Et maintenant, qu'est-ce qu'on fait ? demanda Paulina, DÉCOURAGÉE.

Des troncs d'arbre cassés, des tas d'algues, des branches et autres détritus encombraient la PLAGE, bloquant le chemin que les nouveau-nés auraient à PARCOURIR d'ici quelques heures.

– Si nous nous mettons immédiatement au travail, nous réussirons peut-être à faire un peu de MÉNAGE... hasarda Violet.

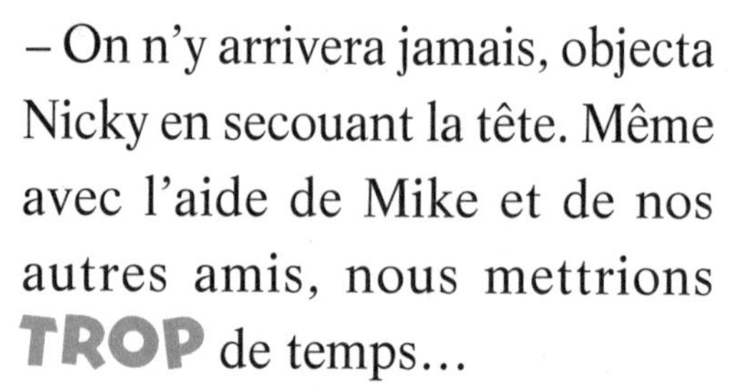

– On n'y arrivera jamais, objecta Nicky en secouant la tête. Même avec l'aide de Mike et de nos autres amis, nous mettrions TROP de temps...

L'attention de Nicky, Paulina, Violet et Pam fut alors attirée par un drôle de bruit...

ZZ-ZZ-ZZ-ZZ-ZZ-ZZ-ZZ...

Les quatre filles connaissaient bien Colette et savaient que, pour réussir à se concentrer, leur **camarade** devait parfois s'adonner à d'étranges activités, comme… se **LIMER** les ongles !

En la voyant faire, Pam s'exclama, pleine d'espoir :

– Colette, dis-moi que tu n'es pas **SEULEMENT** en train de réparer l'un de tes ongles cassés, mais que tu cherches une **idée** pour sauver la situation…

– Euh, bien sûr… Excusez-moi ! bafouilla celle-ci en souriant et en rangeant sa LIME dans son sac à main. J'avais besoin de réfléchir… Nicky a entièrement raison : tout seuls, on ne parviendra jamais à NETTOYER la crique à temps pour l'éclosion des œufs. Mais qui a dit qu'on devrait agir… en solitaires ?

APPEL DES TÉA SISTERS...

– Nous ne sommes pas les seuls à nous soucier du nid des **tortues**, expliqua Colette. Pensez à ce qui s'est passé il y a deux jours, quand il a fallu régler d'**URGENCE** le problème des algues envahissantes : les pêcheurs du port n'ont pas hésité à nous assister pour mettre en place le **BARRAGE** flottant !

– C'est vrai... songea Shen.

– Donc, l'unique chose à faire est d'**IMPLIQUER** autant de gens que possible ! Que diriez-vous de demander leur collaboration à... tous les habitants de l'île ?

– **Génial, soeurette !** s'enthousiasma Pam.

Les Téa Sisters, Craig et Shen rentrèrent aussitôt à Raxford, où ils racontèrent à leurs camarades les effets ravageurs du **gros temps**, ainsi que l'idée de Colette.

– Mais comment transmettre notre **APPEL** à l'ensemble de la population ? s'enquit Mike.

– Simple ! Nous allons fabriquer des tracts ! proposa Pam.

Les **étudiants** se mirent à l'œuvre et, en moins de temps qu'il ne faut pour le dire, élaborèrent des affichettes colorées avec le texte : « La plage des Ânons a besoin de vous ! Aidez-nous à la nettoyer ! »

Aussitôt après, un

petit groupe d'élèves se dispersa dans tout le village pour les distribuer.

– Venez, vous aussi, nous prêter main-forte ! Nous vous attendons cet APRÈS-MIDI sur place ! clama Violet en tendant un feuillet vert à une famille.

– Mademoiselle, je ne sais pas si je vais POUVOIR, car j'ai promis à mon grand-père de lui

rendre visite ! lui répondit le petit garçon d'un ton sérieux.

– Ah, c'est un ENGAGEMENT important, répliqua Violet en souriant. Je suis sûre que nos **protégées** comprendront !

En filmant les Téa Sisters occupées à ce démarchage, Mike mesura la portée de leur travail. Si les **tortues** marines parvenaient à s'en sortir, ce serait grâce à la ténacité de ces **cinq filles** et au lien particulier qui les unissait !

… RÉPONSE DE L'ÎLE DES BALEINES !

Cet après-midi-là, pour la deuxième fois de la journée, la plage des Ânons réserva aux Téa Sisters une **DÉSAGRÉABLE** surprise. À leur arrivée, les cinq filles, accompagnées de Mike et de leurs **camarades**, trouvèrent tout le contraire de ce qu'elles avaient espéré : le SITE était désert !

– Mais enfin… personne ne s'est déplacé ! s'AFFLIGEA Violet.

– Désolée, les amies ! s'excusa Colette avec un filet de voix. J'étais pourtant SÛRE que la population de l'île se réjouirait de nous aider !

– Et maintenant, qu'est-ce qu'on fait ? demanda Nicky.

– Je crains que nous devions *capituler*, répondit Paulina en s'asseyant avec résignation sur un TRONC d'arbre apporté par la mer.

À la vue des mines DÉPITÉES de ses amies, Pam tenta de les faire réagir :

– Courage, sœurettes ! Les Téa Sisters ne perdent

pas espoir aussi facilement ! Après tout, on peut encore compter sur nos propres **forces**...

– Quoique... l'interrompit Mike en désignant un point au **LOIN**. Je dirais que vous pouvez compter sur des forces bien plus nombreuses...

PERPLEXES, les Téa Sisters dirigèrent leurs regards vers le

fond de la crique et ce qu'elles aperçurent leur coupa le SOUFFLE.
Ils étaient tous là : les étudiants du collège, les PÊCHEURS et les habitants de l'île des Baleines !
Les cinq amies coururent à la rencontre de la foule.
– MERCI à tous d'avoir abandonné vos occupations pour nous rejoindre ! s'écria Nicky.
– Une urgence est une URGENCE ! répondit

aimablement Tamara Calamar, qui, pour l'occasion, avait fermé son bazar.

– Vous ne pensiez tout de même pas qu'on allait vous laisser toutes seules ?! plaisanta le professeur Van Kraken.

– Ben, en fait… je dois avouer

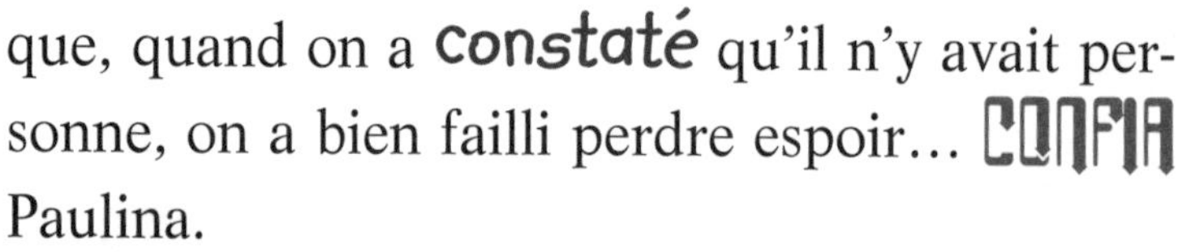

que, quand on a constaté qu'il n'y avait personne, on a bien failli perdre espoir… CONFIA Paulina.

À ce moment émergea de la MASSE de bénévoles l'enfant que Violet et Mike avaient rencontré dans la matinée.

– VOUS AVEZ VU, MADEMOISELLE ?

dit-il en s'approchant de Violet. Moi aussi, je suis venu nettoyer le SABLE pour les petites tortues... en plus avec mon grand-père !
– Bravo ! C'est important que tous, petits et GRANDS, contribuent à cet effort ! se réjouit la jeune fille.
Et d'ajouter :
– Et maintenant, il ne nous reste qu'à retrousser nos manches et à nous mettre au travail !

L'UNION FAIT LA FORCE !

L'opération de NETTOYAGE de la plage des Ânons fut longue et fatigante, mais se déroula dans une ambiance de FÊTE. C'était comme si, en ce lieu, s'était réunie une grande famille, dont tous les membres collaboraient dans la bonne humeur.

Attendant que Pam lui passe des branches sèches à emporter, Nicky observa :

– Regardez, il y a même les Vanilla Girls, là-bas !

En effet, Connie, Zoé et Alicia s'étaient mêlées à la foule et ne ménageaient pas leur peine pour remettre le SITE en état.

– Eh bien… les Libellules dorées finissent par

se démener sérieusement pour aider la NATURE ! commenta Colette avec un petit rire.

La seule à manquer à l'appel était Vanilla. Après avoir lutté contre la **TEMPÊTE**, la jeune fille devait désormais affronter un gros REFROIDISSEMENT, qui l'obligeait à garder la chambre !

Le temps **FILA** et, en l'espace de quelques heures, les insulaires accourus cet après-midi-là

Les tortues sont sauvées !
On a réussi !

se retrouvèrent face à une crique PROPRE et DÉGAGÉE.

Il n'y avait plus guère sur le sable que quelques branchettes.

– Professeur, il me semble que nous avons fini… déclara Nicky, tout **émue**.

– Je suis FIER de vous ! s'exclama le professeur Van Kraken. Et maintenant, il ne nous reste qu'à espérer que les *petits* sauront trouver leur chemin !

À ce moment apparut sur la PLAGE Rondouillette Rondouillard, la cuisinière du collège, qui transportait un panier rempli de SANDWICHS.

Elle le posa par terre et appela :

– Par ici ! L'heure est venue de déguster un casse-croûte bien *mérité* !

– Bravo ! J'ai une faim de loup ! s'exclama Pam en se PRÉCIPITANT vers Rondouillette.

Dans sa hâte, elle buta contre un tronc, poussa Elly, qui renversa Paulina, laquelle tomba sur Shen, qui finit les quatre FERS en l'air !

– OUUUPS ! murmura Pam, le nez dans le sable. On dirait que j'ai créé une belle pagaille…

Les autres Téa Sisters accoururent aussitôt pour aider leurs amis.

– Après les tortues, il est temps de nous

occuper… de remplir l'ESTOMAC de Pam ! observa Colette en riant.

– Bien dit, Coco ! gloussa Nicky en étreignant ses amies.

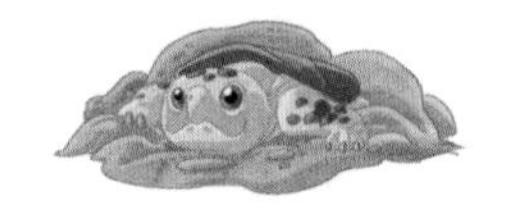

Bienvenue, petites tortues !

Cette nuit-là, les Téa Sisters, le professeur Van Kraken, James Musaron et Mike restèrent sur la plage des Ânons pour attendre l'apparition des premières tortues.

Équipé de couvertures, de Thermos de thé chaud et de nouveaux sandwichs, le petit groupe s'installa dans un coin à proximité du nid. Silencieux, chacun observait le ciel obscur, émaillé de mille étoiles brillantes.

Les veilleurs n'avaient pas allumé de lumières, car ils savaient qu'un ÉCLAIRAGE artificiel pouvait troubler les nouveau-nés et les empêcher de trouver leur chemin vers la mer.

– REGARDEZ ! LE SABLE BOUGE ! signala soudain Paulina à voix basse.
Tous s'approchèrent du nid LENTEMENT et sans faire de bruit. De l'endroit où les œufs étaient enfouis pointa une MINUSCULE nageoire, suivie d'une autre, et enfin le nez d'un petit ÉMERGEA du sable.

Progressivement sortirent les autres nouveau-nés. Leurs observateurs les regardèrent trottiner, l'un derrière l'autre, jusqu'au **BORD** de l'eau, guidés par la force de leur instinct, qui les attirait vers ce qui était leur maison : la **mer**. Toute l'équipe était submergée de **tendresse** face à ce merveilleux spectacle, délicatement éclairé par le rayonnement des étoiles.

– Bienvenue, **petites** tortues ! murmura Mike en filmant discrètement la nichée.

Son maître, James Musaron, posa une main sur son épaule et lui déclara tout bas :

– Tu fais un EXCELLENT travail, Mike. Tout comme ces bébés, tu me sembles avoir trouvé ta voie !

Derrière sa caméra, le jeune homme SOURIT.

– Vous vous rendez compte, quand elles auront grandi, ces tortues se souviendront de cette crique et y reviendront certainement… chuchota Paulina.

– Oui, répliqua Nicky, émue. Et pas de doute : l'île des Baleines aussi se les rappellera pour toujours !

EXCELLENT TRAVAIL, JEUNES GENS !
QUELLE ÉMOTION !

CE DOCUMENTAIRE SERA MAGNIFIQUE !

Table des matières

DANS LA MÊME COLLECTION

1. Téa Sisters contre Vanilla Girls
2. Le Journal intime de Colette
3. Vent de panique à Raxford
4. Les Reines de la danse
5. Un projet top secret !
6. Cinq amies pour un spectacle
7. Rock à Raxford !
8. L'Invitée mystérieuse
9. Une lettre d'amour bien mystérieuse
10. Une princesse sur la glace
11. Deux stars au collège
12. Top-modèle pour un jour

Et aussi...

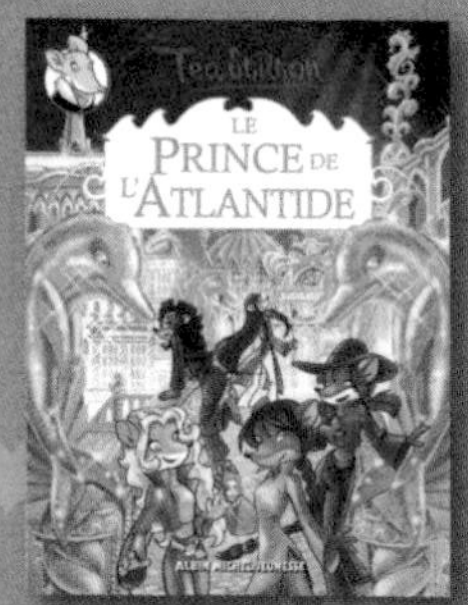

Hors-série
Le Prince de l'Atlantide

1. Le Code du dragon
2. Le Mystère de la montagne rouge
3. La Cité secrète
4. Mystère à Paris
5. Le Vaisseau fantôme
6. New York New York !
7. Le Trésor sous la glace
8. Destination étoiles
9. La Disparue du clan MacMouse
10. Le Secret des marionnettes japonaises
11. La Piste du scarabée bleu
12. L'Émeraude du prince indien
13. Vol dans l'Orient-Express
14. Menace en coulisses
15. Opération Hawaï

N
S
1
2
3
4
5
6
7
8
9
10
11
12
13
14
15
16
17
18
19
20
21
22
23
24
25
ÎLE
DES BALEINES

L'île des Baleines

1. Pic du Faucon
2. Observatoire astronomique
3. Mont Ébouleux
4. Installations photovoltaïques pour l'énergie solaire
5. Plaine du Bouc
6. Pointe Ventue
7. Plage des Tortues
8. Plage Plageuse
9. Collège de Raxford
10. Rivière Bernicle
11. *L'Antique Cancoillotterie*, restaurant et siège des *Messageries Ratiques – Transports maritimes*
12. Port
13. Maison des Calamars
14. *Zanzibazar*
15. Baie des Papillons
16. Pointe de la Moule
17. Rocher du Phare
18. Rochers du Cormoran
19. Forêt des Rossignols
20. Villa Marée, laboratoire de biologie marine
21. Forêt des Faucons
22. Grotte du Vent
23. Grotte du Phoque
24. Récif des Mouettes
25. Plage des Ânons

DRAXFORD
1
2
3
4
5
6

7
8
9
10
11
12
1. Terrain de jeux
2. Appartements des professeurs
3. Club des Lézards noirs
4. Jardin
5. Tour du Sud
6. Club des Lézards verts
7. Bureau du recteur
8. Jardin des herbes aromatiques
9. Tour du Nord
10. Réfectoire
11. Amphithéâtre
12. Escalier des cartes géographiques